著作权合同备案号：豫著许可备字-2015-A-00000196

版权所有，翻印必究

图书在版编目（CIP）数据

斗年兽／ 刘嘉路文；（俄罗斯）欧尼可夫图 ． —— 郑州 ：海燕出版社 ，2015.8

（金羽毛·世界获奖绘本）

ISBN 978-7-5350-6306-9

Ⅰ．①斗… Ⅱ．①刘… ②欧… Ⅲ．①儿童文学－图画故事－中国－当代 Ⅳ．① I287.8

中国版本图书馆 CIP 数据核字 (2015) 第 149249 号

选题策划：黄天奇　 张桂枝
统　　筹：郭六轮　 彭宏宇
责任编辑：陈艳艳　 彭宏宇
美术编辑：彭宏宇
责任校对：刘学武
责任印制：邢宏洲
责任发行：贾伍民　 曹咏梅

LOGO 设计：韩　青

出版发行：海燕出版社
　　　　　地址：郑州市北林路 16 号
　　　　　邮编：450008
　　　　　电话：0371-65734522
经　　销：河南省新华书店
印　　刷：深圳市建融印刷包装有限公司
开　　本：12 开 (787 毫米 ×1092 毫米)
印　　张：3.5 印张
字　　数：70 千字
版　　次：2015 年 8 月第 1 版
印　　次：2015 年 8 月第 1 次印刷
定　　价：38.00 元

本书如有印装质量问题，由承印厂负责调换。

金羽毛·世界获奖绘本

斗年兽

刘嘉路/文　　[俄罗斯]伊戈尔·欧尼可夫/图

中原出版传媒集团
大地传媒

🐦海燕出版社

给童年插上金羽毛

　　中国曾经有自己的图画书，它们的故事、图画，都有过金羽毛般的美丽飞翔，翅膀滑过童年们的眼睛的时候，眼睛们都眨动出了许多的欢跃和许多天真、懵懂的感情。他们告诉过自己，告诉过父母，也许还包括老师，如果那时的幼儿园和小学，也有过这样的阅读的话。

　　但是这样的飞翔的"金羽毛"，后来不知怎么就几乎没有了，于是童年们就没有了这鲜艳的阅读，他们只能在白纸黑字里等候故事，白纸黑字也非常好，但是鲜艳、看得见神态的"金羽毛"才更适合童年们的趣味和愿望。童年是有自己的趣味和愿望的，图画书被人类创造出来，就是因为人类看见了这样的趣味和愿望，他们说："哦，童年原来是这样！"

　　所以这些年，我们就尽力印刷了很多别的国家的图画书，还有中国台湾的图画书，因为他们都没有中断过。他们一直继续啊继续，尤其是那些在文学、艺术方面非常努力的西半球国家，他们在为儿童写书、出书的时候，用足智慧，用尽可以想到的方式。他们在为童年们写故事、涂颜色的时候，是想为自己耸起很高的峰峦的，不是只为了买面包和奶酪，更不是只为了买一幢又一幢房子。他们的经典世界观是：有了一幢房子还要再买一幢房子做什么呢？所以他们安心地写，缓慢地画，结果就诞生出优秀了。他们好像不习惯说："瞧，我的这个经典！"结果你会看见，他们的优秀里反而有了一些经典的闪烁，它们就被童年们一代一代地捧起来阅读，那些不是童年的成年们也兴致勃勃欣赏，他们判断出，这样有"闪烁"的优秀，是必须放在童年们的眼睛前的。于是，童年们眼睛前的"金羽毛"的飞翔就不会再消失，"金羽毛"成了童年丰富和快乐的一个大标志。

它也必须成为中国现在和以后的童年们的大标志！所以我总是会为这样的金羽毛般的书的到来，向四处发布"新闻"，叙说我的振振的理由，叙说出它们可爱的滑稽、动人的温暖、深深远远的生命道理。我觉得自己真是一个热情的"金羽毛"新闻官呢，所以我想代表童年们谢谢我自己，我问童年们："你们同意吗？"

他们说："当然同意！同意！同意！"童年们说话喜欢连说几遍。

"为什么呢？"我问。

"因为我们喜欢金羽毛！因为金羽毛漂亮！"

我知道，因为他们也想为自己的翅膀插上金羽毛。这样的话他们自己也许还说不出来，所以我为他们说出来。

现在，一根根"金羽毛"正闪烁着，飞翔在童年们非常透明的眼睛前。

著名儿童文学作家
著名儿童文学评论家

古时候的人并不喜欢过年，因为有一只叫作"年"的巨兽。

"年"是一只有着龙头、鳄鱼四肢的硬皮巨兽。它平常在海底沉睡着，一直睡到第三百六十五天的晚上，才会醒过来，从海里爬到陆地上来找东西吃。

靠海的村民试过很多种方法抵挡年兽，却没有一次成功。每年的第三百六十五天，当海水开始涨潮时，村民们就会互相警告："年要来了，年要来了，快逃命啊！"

这一天，北风呼呼，大雪飘飘，天气冷得不得了。村民们忙着准备上山的干粮，村长扯开了喉咙大喊："年要来啦！快走啊！"他一面大喊，一面带着全村老少往山上避难。

　　住在村子东边的丁婆婆，唯一的儿子跟媳妇在去年被年兽吃了。她老得走不动也跑不快，只能关紧门窗，和小孙子躲在屋里，希望能逃过一劫。

这时候，村口来了一位乞讨的老人。老人留着灰白的山羊胡，眼睛明亮有神，拿着竹拐杖，注视着慌乱的村民。

村民有的忙着封窗锁门，有的则牵牛赶羊，没人有时间关心这位乞讨的老人。

眼看着村民一个个走光，老人没要到半点儿吃的，失望极了。

老人正准备离开时，被丁婆婆的孙子瞧见了，叫住他："老公公，我们家还有一些昨天吃剩的水饺，您要吃吗？"

　　老人一听，一拐一拐地走进丁婆婆的屋子。他接过水饺就大口吃起来。吃完，他拍拍肚皮，问道："奇怪，为什么村民们都慌慌张张地往山上跑呢？"

　　丁婆婆叹口气，流着泪把年兽害人的事情说出来，最后还说："年兽就要来了，我是走不动了，只能留下来。你吃完就赶快走吧！否则被它吃掉，就冤枉了。"

没想到，老人哈哈大笑说："我以为是什么大不了的事，原来是这个缘故。老婆婆，你别怕，今天晚上就看我来收拾它！"

　　丁婆婆瞪大了眼睛，说："什么？你不怕恐怖的吃人年兽？"

　　老人在草席上躺下来，说："只要你再多包些饺子给我吃，我就有办法赶走年兽。等一会儿，你只要找两张红纸给我，再给我一块大红布，其他的事就交给我。"

丁婆婆半信半疑地找出了红纸和大红布，交给老人。然后她走到厨房去，开始"砰砰砰"地用菜刀剁饺子馅儿。

老人走出屋子，把大红纸往两扇门上一贴，再把红布披在身上。他威风地站在雪地上，静静等候即将出现的年兽。

天色暗了下来，海水"哗啦哗啦"涌上岸。长满幽蓝色鳞甲、张着大口的年兽，爬出海面，往村子一步步逼近，一对凶光四射的绿眼珠，正到处找人吃哩。

　　突然，年兽听到村里传来奇怪的声音。

砰、砰、砰！刺耳的声音让年兽生气得不停大吼："吼——"巨吼声传到丁婆婆的耳里，她害怕得全身发抖，手中的刀也剁得更快了——砰砰砰砰！

　　"哇！难受死啦！难受死啦！"年兽听到嘈杂的声音，难受得直跳脚。

　　这时，院子里的老人也在拐杖尖儿点着了火，在雪地上飞快地左右跑动。

　　年兽看见老人身上的红布和刺眼的火光，一大片红光就像千万根针一样，狠狠刺进它的双眼，它赶忙闭上眼睛。

　　原来，年兽最害怕的就是吵闹声和红色。

菜刀剁馅儿和竹子燃烧的声音，让年兽难受得在地上打滚，它吼着："疼啊，我这辈子从来没受过这种痛啊！"

好不容易站起来，年兽低着头紧闭眼睛，转身就逃回海里，躲到最深、最暗的地方。

　　老人这时笑着说："哈，老婆婆，你看我不是把年兽赶跑了吗？我想那家伙短时间不敢再出来害人，你可以安心了！"

　　说完之后，他嗖地飞上天。原来老人不是平常人，而是一位好心的神仙。

第二天，当村民们回到村子，发现丁婆婆和孙子平安无事，都惊讶极了。丁婆婆一五一十地把前一晚的事说出来。

村民们高兴地说："太好了，以后等年兽醒来的这一天，我们只要剁饺子馅儿、穿红衣、贴红纸、烧竹子就好了。再也不用害怕年兽吃人啦！"

为了庆祝全村的人平安无事，村民们换上新衣，戴上新帽，到亲戚朋友家相互恭喜、问好。驱赶年兽的办法，很快就传遍了各个村庄。

从此，每到除夕这一天，家家户户都会在门口贴上红对联，点上烛火，燃放爆竹。

隔天清早，大家出门见到人，会相互说"恭喜"，庆祝彼此平安地度过了一年。

过年背后的故事

文学博士　胡丽娜

　　中国的新年气氛总是浓烈而热闹：大红对联、大红灯笼、震耳欲聋的爆竹、饺子……可是，"年"到底是什么？这些新年的习俗是如何形成的？习俗的背后有着怎样的故事？

　　很多传统习俗背后都蕴藏着深厚的文化积淀，需要我们以孩子喜闻乐见的方式去讲述。各地关于过年、斗年兽的故事流传下来的很多，有的适合孩子，有的不适合孩子。对于有心讲述中国文化与传统的人来说，难的是怎样融会习俗讲述一个好听好玩的故事。刘嘉路的《斗年兽》表现得很智慧：有怪兽却不恐怖，有打斗却洋溢着爱心与喜气，有习俗呈现却不妨碍故事的流畅、好听，有众多人物却又个个性格分明，令人印象深刻。

　　更加难得的是，在这样一个传统的中国故事中，来自莫斯科的绘图者伊戈尔·欧尼可夫的不凡表现：鲜活地运用了红色等中国元素，既有中国风韵，又有自己的坚持与创新。我最赞赏的是跨页和细节的表现：八个大跨页，每每有神奇的设计。比如第一个跨页，形态各异的海龟、海鱼，以及沉睡的年兽，伊戈尔·欧尼可夫一开场以神奇的海底世界拉近孩子与这个遥远故事的距离。再如老人威风地站立在雪地上无畏地等待年兽到来的场景：漫天飞雪，长长的竹拐杖，老人傲然自若的神情。还有老人大斗年兽的场景，令人眩晕的红色和动作。最后人们贴红对联、点红灯笼、燃放爆竹驱赶年兽的喜庆的方式，用了两个色彩缤纷唯美又不失温馨的画面来表现。

　　有余韵的故事才是好的故事，有细节的图画才是耐看的图画。伊戈尔·欧尼可夫的图画细节表现同样值得称道，比如上山避难的跨页中，迷茫的雪天，人们惊恐的神情都惟妙惟肖。

　　伊戈尔·欧尼可夫用心的配图与设计成就了《斗年兽》这个传统故事的现代魅力。

作者 刘嘉路

　　她曾任初中英语教师两年，目前任出版社编辑和翻译，喜欢旅游文学，喜欢收藏与"书""书店"等主题相关的书。

　　刘嘉路创作、译写的童书作品有《斗年兽》《十二生肖谁第一》《全垒打王——贝比鲁斯》《勇者之光》和《橡树上的黄丝带》等。在写故事、读故事之余，她也朝翻译一路前进。翻译作品多以青少年文学为主，如《我爱脏宝贝》《阿力的青春记事》和《大师密码》系列等。

绘者 伊戈尔·欧尼可夫（Igor Oleynikov）

　　从莫斯科化工大学毕业之后，伊戈尔·欧尼可夫一直致力于动画制作与童书插画的工作，认真地为每本故事构思别出心裁的人物造型与场景。伊戈尔·欧尼可夫的画风属瑰丽一派，处处可见精心的设计，再利用活泼的构图、多变的视觉角度和色彩浓淡的转换，创造多层次的画面，每每让大小朋友在图画中遇见惊喜。

　　伊戈尔·欧尼可夫的作品曾荣获"莫斯科国际书展年度最佳选书"，更在2004年、2009年入选"博洛尼亚国际儿童书插画展"，参展纪录辉煌。代表作品有《十二生肖谁第一》《斗年兽》《布莱梅乐队》《熊梦蝶·蝶梦熊》《神笔马良》和《夫子说》等。